ORIGEN DE ESTOS CUENTOS

Hay muchas versiones distintas de los cuentos incluidos en este libro. Los autores que se mencionan aquí son los que escribieron o recopilaron las versiones más conocidas. Las fechas que se dan son las del año en que se publicaron.

Las semillas mágicas - Joseph Jacobs, 1890
La gallinita roja - Sara Cone Bryant, 1907
El zapatero y los duendes - Jacob y Wilhelm Grimm, 1812
La princesa del medio guisante - Hans Christian Andersen, 1835

2.ª reimpresión: junio 1990
3.ª reimpresión: octubre 1993

Título original: *Jack and the beanstalk*
© 1985, Walker Books Ltd.
© 1986, Ediciones Altea, S. A.
© 1989, Altea, Taurus, Alfaguara, S. A.
© 1993, Santillana, S. A., de la presente
edición en lengua española
Elfo, 32 - 28027 Madrid

PRINTED IN SPAIN
Impreso en España por: UNIGRAF, S. A.
Políg. Industrial Arroyomolinos
Móstoles (Madrid)

Depósito legal: M. 28.369-1993
I.S.B.N.: 84-372-8009-5

LAS SEMILLAS MÁGICAS

Narrados por Sarah Hayes
Traducidos por María Puncel

Ilustrados por Gerrard McIvor

Altea

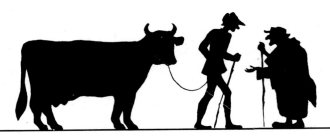

LAS SEMILLAS MAGICAS

Ocurrió en cierta ocasión que una mujer viuda vivía en una choza con su único hijo que se llamaba Antón. El muchacho tenía buen carácter pero era bastante perezoso. Antón y su madre eran muy pobres y no tenían más que un mísero huerto y una vaca. Un verano en que hizo mucho calor, el huerto se secó, el prado no tenía hierba y la vaca, sin nada que comer, dejó de dar leche.

—Tenemos que vender la vaca —se lamentó la madre.

—Yo me encargaré de hacerlo —dijo Antón.

En el camino hacia el mercado encontró a un hombre y le contó lo apenado que estaba por tener que vender la vaca.

—Yo te daría un buen precio por ella —le dijo el hombre.

—¿Qué me daríais?

—Esto —el hombre extendió la mano y mostró un puñado de semillas de colores.

—¡Quiero dinero por mi vaca, no semillas! —dijo Antón.

—Estas son unas semillas mágicas —aseguró el hombre.

Antón lo pensó bien y, como era perezoso y no tenía ganas de recorrer el largo camino hasta el mercado, acabó por aceptar las semillas como pago por la vaca.

Cuando llegó a su casa su madre le dijo:

—¡Qué pronto has vuelto!

—He vendido la vaca y la he vendido bien ¡mira! —y enseñó a la mujer el puñado de semillas de colores.

—¡Hijo estúpido! ¿Has cambiado mi buena vaca por unas pocas semillas?

—¡Son semillas mágicas, madre!

La madre, furiosa, le dio un manotazo y las semillas salieron volando por la ventana y cayeron en el seco suelo del huerto. Luego, envió a su hijo a la cama sin cenar.

Cuando Antón se despertó al día siguiente, vio algo sorprendente: las semillas mágicas habían germinado en el huerto y ahora eran una planta enorme más alta que la ventana, más alta que el tejado y que se perdía allá arriba entre las nubes.

Antón era ciertamente perezoso y también
un poco bobalicón, pero desde luego no era
cobarde, así que empezó a trepar y trepar por
el tronco de la gigantesca planta. Al cabo de
un rato llegó a un país desierto en el que no
se veían árboles ni pájaros. Sólo allá, a lo
lejos, aparecía algo que semejaba una casa.

El muchacho empezó a caminar hacia la casa que parecía crecer a cada paso que daba. Por fin se encontró ante la puerta de una enorme mansión. Una mujer apareció en el umbral.

—Buenos días, señora —saludó Antón—. ¿Podríais darme aunque sólo fuera una corteza de pan?

—Entra deprisa. Mi marido está a punto de llegar. Veré lo que puedo ofrecerte —dijo la mujer.

Antón la siguió y se encontró dentro de la habitación más grande que había podido imaginar en su vida.

La mujer le hizo sentarse en un taburete que era del tamaño de una cama y le dio una corteza de pan que era como dos panes juntos.

Mientras Antón estaba comiendo, el suelo empezó a temblar. Los cacharros bailaban en los vasares y la casa se estremeció hasta sus cimientos.

—¡Llega mi marido! —gritó la mujer—. ¡Muchacho, escóndete en el horno o te comerá!

Antón dio un brinco y se escondió dentro del horno, pero dejó la puerta un poco entornada.

Un gigante entró en la casa dando unas voces terribles:

—¡Mujer! ¡¡¡Aquí huele a carne humana!!!

—A lo que huele es al cabrito que tienes para cenar —le contestó la mujer.

Antón miró por la rendija de la puerta y vio

a un enorme gigantón que tenía una maza llena de clavos. El gigante gruñía y se sentó a la mesa para cenar. Comió y comió hasta hartarse; luego pidió sus bolsas de oro. Antón oyó el tintineo que hacían las monedas al chocar unas con otras mientras el gigante las contaba. Luego el tintineo fue cesando hasta no oírse más... El gigante se había dormido.

Antón se deslizó al suelo sigilosamente, se apoderó de una bolsa llena de monedas y, caminando de puntillas, salió de la casa. Luego, corrió a través del desierto, llegó hasta la planta mágica y descendió hasta el huerto de su casa.

La madre de Antón se quedó encantada cuando vio las monedas de oro y durante

muchos meses la mujer y su hijo vivieron con todo lujo y comodidades; pero llegó un día en que la bolsa ya no tenía ni una sola moneda más. Antón decidió volver a trepar por la planta mágica. Cruzó de nuevo el país desierto y se encontró ante la puerta gigantesca. La mujer salió y le dijo:

—No debería dejarte entrar. El día que estuviste aquí desapareció una bolsa de monedas de oro.

—¿De veras? —dijo Antón. En ese momento el suelo empezó a temblar y la casa se estremeció hasta sus cimientos.

—¡Llega mi marido! —gritó la mujer—. ¡Escóndete en el montón de leña!

El gigante entró en la casa pateando el suelo y dando unos gritos terribles:

—¡Mujer! ¡¡¡Aquí huele a carne humana!!!

—A lo que huele es al par de vacas que tienes preparadas para cenar —le contestó la mujer.

El gigante se sentó gruñendo y empezó a comer y a comer hasta hartarse; luego, se repantigó en su butaca y llamó a su gallina. Una gallina parda voló hasta posarse ante el gigante, que le gritó con voz ronca:

—¡Pon!

Y la gallina puso un huevo de oro.

—¡Pon! —volvió a rugir el gigante y la gallina depositó otro huevo de oro sobre la mesa. Y siguió poniendo huevos y huevos hasta que la cabeza del gigante cayó hacia adelante y en la cocina no se oyó más que el estrépito de sus ronquidos. El gigante se había dormido.

Antón se deslizó sigilosamente fuera del montón de leña, agarró la gallina y salió a escape de la gran mansión. Cruzó a todo correr el desierto y llegó hasta la planta mágica. La gallina cacareó asustada durante el recorrido y el gigante se despertó, agarró su garrote claveteado y siguió al muchacho lleno de furia, pero para cuando llegó a la planta mágica ya Antón estaba en su casa y había cerrado su ventana y su puerta.

Durante muchos meses Antón y su madre vivieron con todo lujo y comodidades; pero llegó un momento en que Antón empezó a aburrirse y sintió ganas de correr nuevas aventuras, así que decidió subir, una vez más, por la planta mágica. Por tercera vez se encontró ante la enorme puerta y allí encontró a la mujer del gigante.

—No puedes entrar —le dijo ella—. Mi marido te despellejaría vivo si te encontrase. La última vez que estuviste aquí desapareció su gallina de los huevos de oro.

—¿De veras? —preguntó Antón con aire inocente; y en cuanto la mujer del gigante dio media vuelta para entrar en la casa, él se coló detrás de ella y se escondió debajo de una media nuez gigantesca.

En aquel mismo momento el suelo empezó a temblar y las paredes se tambalearon; un estruendoso vozarrón gritó:

—¡Mujer! ¡¡¡Aquí huele a carne humana!!!

—A lo que huele es a la piara de cerdos que tienes preparada para la cena —contestó la mujer.

El gigante gruñó y gruñó y luego se sentó a la mesa para cenar. Y comió y comió hasta hartarse. Luego, pidió su arpa y la mujer se la trajo y la puso sobre la mesa.

—¡Toca! —ordenó el gigante. Inmediatamente las cuerdas del arpa empezaron a tocar una dulce melodía. La cabeza del gigante se movía al compás de la música, y al cabo de unos momentos, unos sonoros ronquidos apagaron el sonido de la

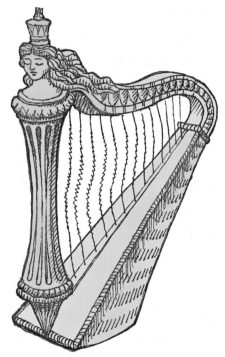

melodía... El gigante se había dormido.

Antón se deslizó entonces fuera de su escondite y se apoderó del arpa mágica. Tan pronto como la tocó, el arpa empezó a clamar:

—¡Amo, amo...! —y el gigante se despertó.

Antón salió de la enorme casa en cuatro saltos y luego corrió desesperadamente a través del desierto. Y el gigante, armado de

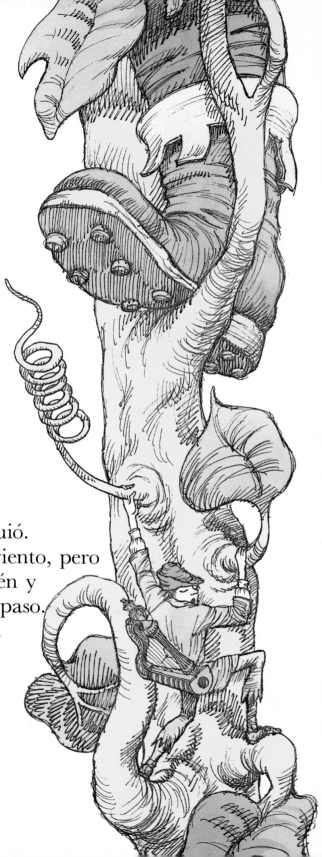

su terrible maza, le siguió.
Antón corría como el viento, pero
el gigante corría también y
ganaba terreno a cada paso.
El muchacho empezó a
deslizarse por la planta
abajo y el gigante
comenzó también a
descender. La planta
temblaba y crujía.

—¡Madre, madre, el hacha! —gritó Antón tan pronto como llegó al suelo. Y su madre le entregó el hacha. De cuatro golpes certeros, el muchacho abatió la planta. El enorme tronco cayó con estrépito y el gigante se desplomó también, y se dio tal golpe contra el suelo que quedó muerto en el acto.

Antón se había llevado un susto tan grande, que a partir de aquel momento perdió todo interés por las aventuras y de allí en adelante vivió en paz y prosperidad el resto de sus días.

LA GALLINITA ROJA

Hubo una vez, una gallinita roja que vivía con un perro, una gata y una oca. Un día, la gallinita roja encontró un grano de trigo.

—¿Quién me ayuda a plantar este grano de trigo? —preguntó.

—Yo no —dijo el perro.

—Yo no —dijo la gata.

—Yo no —dijo la oca.

—Bueno, pues lo plantaré yo sola —dijo la gallinita roja. Y lo hizo.

El trigo creció. Primero fue un tallo verde. Luego, cuando llegó el verano, la espiga que crecía en lo alto del tallo se volvió amarilla. Los granos maduraron al sol y parecían de oro. Había llegado el momento de la siega.

—¿Quién me ayuda a cortar el trigo?
—preguntó la gallinita roja.

—Yo no —dijo el perro.
—Yo no —dijo la gata.
—Yo no —dijo la oca.
—Bueno, pues segaré
yo sola —dijo la gallinita
roja. Y lo hizo.

Ahora había que trillar el trigo para separar
los granos de la paja y la cascarilla.

—¿Quién me ayuda a trillar el trigo?
—preguntó la gallinita roja.

—Yo no —dijo el perro.
—Yo no —dijo la gata.
—Yo no —dijo la oca.
—Bueno, pues lo
trillaré yo sola —dijo la
gallinita roja. Y lo hizo.

Los granos de trigo estaban listos para ser
molidos y convertirse en harina.

—¿Quién me ayuda a llevar el trigo al molino?
—preguntó la gallinita roja.

—Yo no —dijo el perro.
—Yo no —dijo la gata.
—Yo no —dijo la oca.
—Bueno, pues lo
llevaré yo sola —dijo la
gallinita roja. Y lo hizo.

El molinero convirtió el trigo en harina fina y blanquísima.

—¿Quién quiere ayudarme a preparar la masa para hacer un bollo? —preguntó la gallinita roja.

—Yo no —dijo el perro.
—Yo no —dijo la gata.
—Yo no —dijo la oca.
—Bueno, pues amasaré yo sola —dijo la gallinita roja. Y lo hizo.

Cuando el bollo salió del horno humeante, tostadito y bienoliente, la gallinita se sentó a la mesa.

—¿Quién quiere ayudarme a comer este bollo? —preguntó.

—¡Yo! —dijo el perro.
—¡Yo! —dijo la gata.
—¡Yo! —dijo la oca.

—Pues no vais a probarlo —dijo la gallinita roja—. Me lo voy a comer yo sola. —Y lo hizo y no dejó ni una miga.

EL ZAPATERO
Y LOS DUENDES

Había una vez un pobre zapatero que era tan pobre, tan pobre que no le quedaba cuero más que para hacer un par de zapatos.

Una noche, antes de acostarse, cortó el precioso cuero y preparó las piezas que necesitaba para hacer su último par de zapatos. Cuando se levantó a la mañana siguiente se quedó asombradísimo. En lugar de las piezas que había preparado encontró el más maravilloso par de botitas que había visto en su vida. Las puntadas eran tan pequeñas y los adornos tan exquisitos que el zapatero pudo vender las botitas por el doble de lo que esperaba obtener cuando cortó el cuero. Con el dinero ganado compró cuero para dos pares de zapatos.

Y antes de irse a la cama dejó cortadas las piezas que pensaba coser al día siguiente. Esta vez, cuando se levantó por la mañana encontró terminados dos pares de zapatos. El zapatero examinó las diminutas puntadas y los delicados adornos y exclamó:

—¡Este trabajo está hecho de mano maestra!

El zapatero pudo vender los dos pares de zapatos por el doble de lo que pensaba obtener cuando cortó el cuero. Y con el dinero que ganó pudo comprar cuero para hacer cuatro pares de zapatos.

Pasó el tiempo y el zapatero se hizo rico. Mucha gente venía de todo el país para comprar sus hermosos zapatos. Y él lo único que tenía que hacer era cortar el cuero y dejarlo preparado cada noche. Por la mañana encontraba siempre el trabajo prodigiosamente bien terminado.

La mujer del zapatero estaba consumida de curiosidad. Quería averiguar a toda costa quién terminaba los zapatos. Quién cosía, clavaba y remataba; y convenció a su marido para que una noche se quedasen velando, ocultos en un rincón del taller.

Tan pronto como se hizo de noche y todo

estuvo en silencio, aparecieron dos hombrecillos,
cubiertos de harapos. Treparon hasta el banco
del zapatero y empezaron a trabajar
activamente. Mientras sus dedos cosían,
clavaban y remataban, los dos hombrecillos

silbaban alegremente. El zapatero y su mujer apenas podían dar crédito a sus propios ojos.

Cuando clarearon las luces del nuevo día, había sobre el banco cuarenta pares de zapatos primorosamente terminados. El zapatero salió entonces de su escondite, pero los dos hombrecillos saltaron al suelo y desaparecieron por una hendidura del suelo, antes de que el hombre pudiera decirles una sola palabra.

—¿Cómo podríamos darles las gracias? ¿Qué podríamos dar a esos dos maestros zapateros? —preguntó el hombre a su mujer. Y ella no dudó ni un minuto al contestarle:

—Vestidos, marido, vestidos. ¿No te has dado cuenta de que van cubiertos de harapos? Yo puedo coserles hermosos vestidos y tú puedes hacer para ellos buen calzado.

Cuando los hombrecillos aparecieron la noche siguiente no encontraron piezas de cuero

para coser, clavar y rematar. En su lugar
encontraron dos montoncitos de ropa: había dos
sombreros, uno de ellos con una pluma; dos
túnicas con cinturones bordados; calzas finamente
tejidas y calzado de fantasía. Los duendes, porque
los hombrecillos eran duendes, se vistieron
aquellas ropas tan hermosas y empezaron a bailar
con alegres piruetas, cantando llenos de gozo:

> — *Ahora que ya somos tan finos caballeros
> nunca jamás seremos astrosos zapateros.*

Danzaron cantando por toda la
habitación y cuando llegaron a
la puerta, la abrieron y se
fueron a la calle todavía riendo,
cantando y bailando.
El zapatero y su mujer
no volvieron a ver a los
duendes nunca, pero siguieron
viviendo felices y prósperos
durante el resto de sus
vidas porque nunca les
abandonó su
buena suerte.

LA PRINCESA
DEL MEDIO GUISANTE

Hubo una vez un príncipe que se propuso casarse con una verdadera princesa. Viajó por todo el mundo, pero no pudo encontrar una princesa que fuera como él la quería. Una era demasiado alta, otra demasiado baja; una era demasiado hermosa, otra demasiado fea; una era demasiado callada, otra era demasiado charlatana. Todas tenían algún defecto. Ninguna de ellas era la verdadera princesa que él estaba buscando.

Una noche, estalló sobre el castillo una espantosa tormenta. Rugía el trueno, deslumbraban los relámpagos y llovía a cántaros.

El rey oyó que alguien estaba llamando a la puerta y fue a ver quién podía ser. Y allí, en pie bajo la lluvia, vio a una muchacha que dijo ser una princesa. Le corrían por la cara gotas de lluvia y, desde

luego, no tenía ningún aspecto de ser una princesa.

—Bueno, ya veremos —dijo la reina y fue a la habitación de invitados. Puso medio guisante debajo del colchón de la cama y luego amontonó encima veinte colchones más y por fin colocó las sábanas. En esta cama acostó a la princesa.

—¿Qué tal has dormido, querida mía? —preguntó la reina a la mañana siguiente.

—Siento deciros que muy mal —dijo la princesa—. Casi no he pegado ojo en toda la noche. No sé que hay en esta cama, pero desde luego es algo durísimo. Tengo cardenales por todo el cuerpo.

La reina sonrió, el rey sonrió y el príncipe saltó de alegría. Por fin había encontrado una verdadera princesa. Había notado el medio guisante a través de veintiún colchones. Sólo una verdadera princesa podía ser tan delicada.

El príncipe y la princesa se casaron y el medio guisante se guardó en el real tesoro. Allí debe de estar todavía, si es que alguien no lo ha robado.